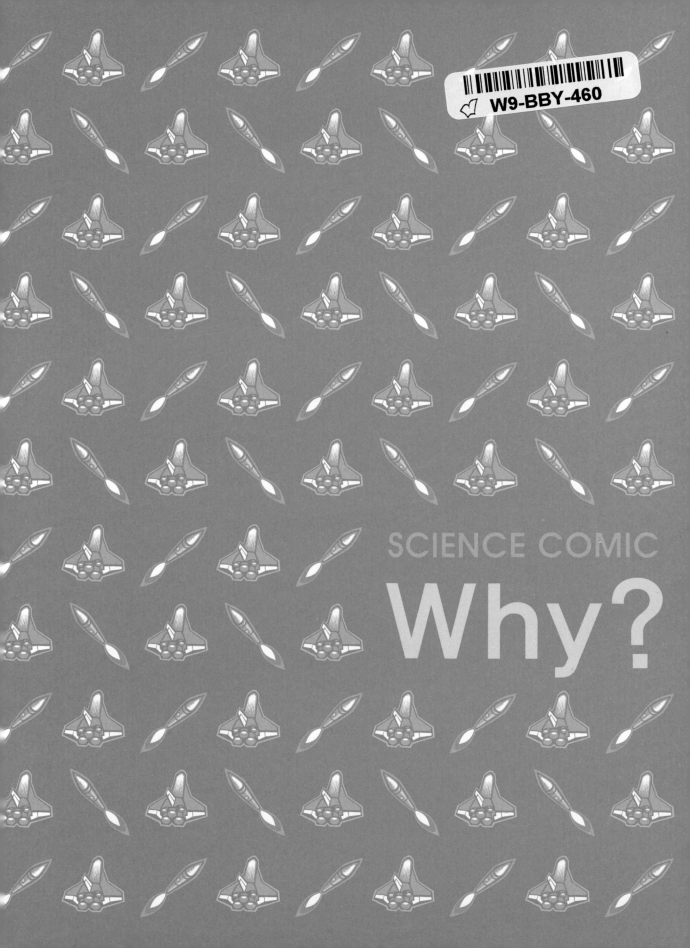

SCIENCE COMIC

Why?

Why? 로켓과 탐사선

Staff

내용을 꼼꼼히 감수해 주신 분

채연석

경희대학교 물리학과를 거쳐 미국 미시시피 주립대학에서 항공우주공학 박사학위를 받았습니다. 1988년부터 한국항공 우주연구소에서 액체추진제 로켓엔진과 과학로켓 개발에 성공했습니다. 한국항공우주원 원장을 거쳐, 현재 한국항공우주 연구원 연구위원, 한국우주소년단 부총재로 있습니다. 〈로켓 이야기〉 〈우리는 이제 우주로 간다〉 등의 책을 썼습니다.

밑글을 재미있게 써 주신 분

황근기

강원도 춘천에서 태어나 대학교를 졸업한 뒤 시와 동화 창작을 시작하였습니다. 현재 동화작가들의 모임인 '우리누리' 에서 어린이들을 위한 책을 쓰고 있습니다. 그동안 쓴 책으로는 〈리틀 과학자가 꼭 알아야 하는 과학 이야기〉 〈과학 원리 동화〉 〈세계 지도로 보는 세계 세계인〉 〈교과서 100배 사회 상식〉 등이 있습니다.

재미있고 알기 쉽게 만화를 그려 주신 분

이영호

그동안 〈나홀로 놀이공원에〉 〈나홀로 방송국에〉 〈시장경제는 내친구〉 〈파워업 워드마스터 1, 2〉 〈우비 기상탐험대〉 등 많은 그림을 그렸습니다. 현재 '퍼니C' 에서 어린이들에게 좀더 친숙하게 다가가기 위해 항상 노력하고 있습니다.
e-mail: kaljebi@hanmir.com

Why? 로켓과 탐사선

2006년 6월30일 1판1쇄 발행
2007년 6월11일 1판7쇄 발행

펴낸이 나성훈
펴낸곳 (주)예림당
등록 제 4-161호
주소 서울특별시 강남구 삼성동 153
대표전화 566-1004
팩스 567-9660
http://www.yearim.co.kr
ISBN 978-89-302-0648-8 73400
ⓒ 2006 예림당

편집 상무 | 유인화
기획 및 편집 책임 | 백광균
편집 | 박효정 연양흠 김주연 박혜란
사진 | 김창윤 세밀화 이신영
디자인 | 이정애 김수인 이보배   제작 | 정병문 조재현 전계현
마케팅 | 김영기 채청용 정학재 지재훈
　　　 김희석 김혜정 김경봉 정웅
사진자료협조 | 미국항공우주국(NASA), 유럽우주기구(ESA)
　　　　　　 러시아 우주청, 채연석

W_hy? 로켓과 탐사선을 내면서

깜깜한 밤에 하늘을 올려다본 적이 있나요?
그럼 수없이 반짝이는 많은 별들을 봤을 거예요.
우리가 사는 지구는 태양과 8개의 행성으로 이루어진 태양계에 속해 있지요.
태양계는 다시 우리은하라는 거대한 별들의 집단에 속해 있는데,
우리은하에는 태양계와 같은 집단이 여러 개 있어요. 더 놀라운 건
우주에는 이런 은하가 수없이 많다는 거예요.
그렇다면 도대체 우주는 얼마나 넓고, 얼마나 많은 별이 있는 걸까요?
사람들은 오래 전부터 다른 행성의 탐사를 꿈꾸며 로켓과 탐사선을 개발해
왔어요. 그러다 드디어 1969년 7월 20일, 미국의 달 탐사선 아폴로 11호의
우주인 암스트롱과 올드린이 처음으로 달에 발을 내디뎠지요.
그 후, 사람들은 우주의 신비를 풀기 위해 끊임없이 로켓과 탐사선을
쏘아 올렸어요. 그 결과, 태양계의 다른 행성들에 대해 조금씩 알게 되었답니다.
하지만 이제 겨우 걸음마를 시작한 것에 불과합니다. 지구와 가장 가까운
행성인 화성과 금성에조차 아직 사람의 발길이 닿지 못했으니까요.
그래서 우주 과학자들은 좀더 나은 로켓과 탐사선을 만들기 위해 지금도
노력하고 있어요. 이런 노력 덕분에 언젠가는 우리가 궁금해하는 태양계의
비밀, 더 나아가 드넓은 우주의 비밀까지도 낱낱이 밝혀질 날이 올 것입니다.
이 책에는 그동안 인류가 쏘아 올린 로켓과 탐사선의 발달 과정과 종류,
우주 탐사에 얽힌 이야기들을 담아 냈습니다. 이 책을 통해 우주를
이해하고, 미래 우주 개척자의 꿈을 키워 볼 수 있을 것입니다.

Contents

Character

꼼지

못말리는 개구쟁이에 사고뭉치. 로켓과 탐사선에 관심이 많아 어린이 우주 비행사가 되지만 아는 것이 별로 없다.

엄지

약간의 공주병 증세가 있지만 똑똑하다. 어린이 우주비행사가 되어 로켓과 탐사선에 대해 적극적으로 배우려고 노력한다.

우비

어린이 우주비행사가 되기 위해 많은 준비를 해 아는 것이 많지만 장난꾸러기라 꼼지와 끊임없이 다툰다.

강문영 박사

한국항공우주연구원의 연구원으로, 엄지의 외삼촌. 어린이 우주비행사 교육을 담당하고 있다.

교관

한국항공우주연구원의 교관. 어린이 우주비행사의 훈련을 담당하고 있다. 엄격하여 아이들이 무서워한다.

우주비행사가 되기 위하여

16

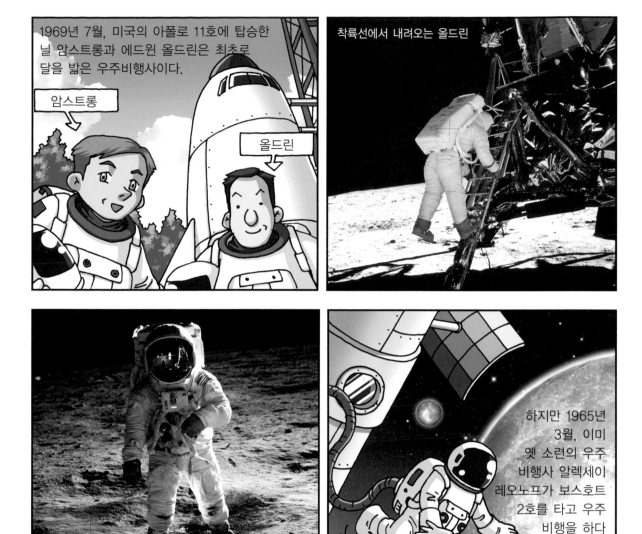

1969년 7월, 미국의 아폴로 11호에 탑승한 닐 암스트롱과 에드윈 올드린은 최초로 달을 밟은 우주비행사이다.

암스트롱

올드린

착륙선에서 내려오는 올드린

달 표면을 걷는 올드린

하지만 1965년 3월, 이미 옛 소련의 우주 비행사 알렉세이 레오노프가 보스호트 2호를 타고 우주 비행을 하다 우주선 밖으로 나와 약 10분간의 우주 유영에 성공했다.

야, 너 물 다 흘리잖아. 똑바로 들어!

히힛!

흔들

흔들

힘드니까 말 시키지 말고 너나 잘해!

아직 안 무거운 모양이지?

으~

으~ 이건 아동 학대야…

졸졸

졸졸

*우주 유영 : 우주 비행중에 실험이나 탐사를 위해 비행사가 우주선 밖으로 나와 우주 공간을 이동하는 것

최초의 여성 우주비행사는 1963년 보스토크 6호에 탔던 옛 소련의 발렌티나 테레시코바였다.
아시아 최초의 여성 우주비행사는 일본인 무카이 치아키로, 1998년 디스커버리호에 탑승했다.
또 1962년 프렌드십 7호에 탑승하여 미국 최초로 지구 궤도를 돈 우주비행사인 존 글렌은
1998년 77세의 나이로 디스커버리호에 탑승, 최고령 우주비행사 기록을 세웠다.

발렌티나 테레시코바

보스토크호

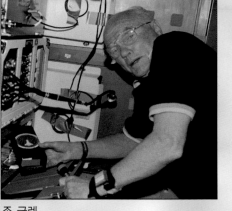
존 글렌

이런 우주비행사들의 목숨을 건 모험이 있었기에 우주 개발이 가능했던 거야.

나도 저렇게 멋진 여자 우주비행사가 될 거야. 꼭!

만약 여러분이 최종 테스트까지 통과해서 합격한다면 최초의 어린이 우주비행사가 될 것이다.

이상으로 우주 개발의 역사 강의 끝!

로켓의 역사

다음은 '로켓의 역사' 강의가 이어집니다. 모두 준비해 주십시오.

뭐야, 아직 쉬는 시간이 20초나 남았는데….

쉬는 시간 하나는 철저하게 지키는구나.

칫, 그럼 안 되나?

어이구… 만날 싸우냐?

이번엔 로켓의 역사에 대해 알아보겠다. 제2차 세계대전이 끝난 후, 미국과 옛 소련은 새로운 무기를 개발하기 위해 경쟁을 벌였다.

마치 꼼지와 우비처럼 말이지요?

그래. 로켓은 대륙간 탄도 미사일 같은 무기를 개발하는 과정에서 발전했단다.

박사님, 최초로 로켓이 만들어진 건 언제인가요?

로켓은 아주 오랜 역사를 가지고 있지.

말하려던 참인데~

어쭈! 잘난 척 하기는.

* 대륙간 탄도미사일 : 앞부분에 핵폭발 장치를 장착하고 한 대륙에서 다른 대륙까지 긴 거리를 비행해서 적을 공격하는 미사일

우리나라에도 있었지. 고려 말, 최무선이 지금의 로켓 원리와 비슷한 '주화' 라는 무기를 발명했단다. 조선 세종 때에는 주화가 개량되어 '신기전' 이 만들어졌어.

신기전

이렇게 화약 무기들이 발전을 거듭해 로켓 개발의 밑바탕이 되었지.

그럼 옛날 로켓은 모두 전쟁용 이었겠네요?

맞아. 현대에 들어와서 1942년, 독일의 폰 브라운에 의해 'V2 로켓' 이 개발되었는데, 이것은 엄청난 파괴력을 지닌 로켓이었단다.

V2 로켓은 액체 산소와 알코올을 연료로 사용했는데 속도가 시속 8천 킬로미터로, 소리 보다 빨랐다.

알코올   액체 산소

독일의 V2 로켓

V2 로켓의 공격을 받은 영국 런던

25

▲ 옛 소련의 치올코프스키
◀ 미국의 고더드

이 사람들이 바로 로켓을 전쟁용이 아닌 우주 비행용으로 처음 연구한 사람들이야.

고더드는 1926년에 최초로 액체 연료 로켓을 발사하여 2.5초 만에 최고 고도 56미터를 날리는 데 성공했다.

피융

이야, 성공이다!

애개, 겨우 고도 56미터? 그게 무슨 로켓….

와, 정말 대단하다! 자그마치 56미터나 올라가다니…!

찌릿

턱

우허허! 쌤통이….

휙

앗, 필기 해야지!

스슥

아무튼 미국과 옛 소련이 본격적으로 로켓 개발 경쟁을 시작한 것은 1950년대부터란다.

옛 소련이 먼저 앞서 가기 시작했지요?

맞아, 엄지가 로켓에 대한 상식이 아주 풍부하구나.

제가 좀 똑똑하기 하죠.

아차! 공주병이 있다는 걸 깜박했군.

첫 대결은 옛 소련의 승리였다. 옛 소련이 세계 최초로 인공위성을 쏘아 올린 것이다.

1957년 10월에 발사된 스푸트니크 1호가 세계 최초의 인공위성이지. 드디어 로켓에 의한 우주 개발이 본격적으로 시작된 거야.

스푸트니크 1호는 무게 84킬로그램의 금속공 모양으로, 4개의 긴 안테나와 전파 송신기가 달려 있다.

스푸트니크 1호

그럼 로켓 개발 경쟁은 옛 소련의 승리로 끝난 거네요?

그건 아니야. 옛 소련의 인공위성 스푸트니크 1호에 자극을 받은 미국이 1958년 1월, 독일의 폰 브라운 박사가 개발한

주피터 로켓으로 미국 최초의 인공위성인 익스플로러 1호를 쏘아 올렸거든.

익스플로러 1호

이때부터 미국과 옛 소련은 앞서거니 뒤서거니 하며 경쟁하게 되었지.

그렇게 로켓과 우주선 개발에 정성을 기울여 1968년에는 미국의 아폴로 8호가 달 주위를 10여 번 돌고 무사히 지구로 돌아올 수 있었다.

1971년, 옛 소련이 세계 최초의 우주정거장 살류트 1호를 쏘아 올렸고, 이에 질세라 미국도 1973년, 새턴 로켓을 개조해 스카이랩이라는 우주정거장을 발사했다.
이렇게 두 나라의 치열한 경쟁으로 우주정거장 시대가 열리게 되었고, 오늘날 '국제우주정거장'을 건설하는 계기가 되었다.

살류트 7호

스카이랩

* 국제우주정거장(ISS) : 고정된 궤도를 돌면서 과학 관측 실험, 우주선 연료 보급, 위성이나 미사일 발사 등을 하기 위한 기지로 설계된 우주 공간에 건설되는 초대형 유인 인공위성

로켓과 미사일

새턴 5호 로켓의 구조

① 비상 탈출 장치
② 사령선
③ 기계선
④ 달 착륙선
⑤ 제3단 J2 엔진 (1개)
⑥ 제2단 J2 엔진 (5개)
⑦ 제1단 F1 엔진 (5개)

새턴 5호의 제1단 로켓 엔진은 등유를 태워 3,450톤의 추력을 만들고, 제2단과 제3단 로켓은 액체 수소를 불타게 하는 엔진이다. 제2단만으로도 520톤 이상의 추력을 낼 수 있다. 제3단은 엔진 하나로 104톤 이상의 추력을 낸다.

이 로켓이 바로 아폴로 11호를 달로 쏘아 올린 새턴 5호야.

와, 정말 멋있다!

새턴 5호 로켓에 아폴로 우주선을 달면 전체 높이가 111 미터이고, 무게는 2,940톤에 달한대.

오, 엄지가 로켓에 대한 상식이 풍부하구나!

와

호홋

*추력 : 물체를 그 운동 방향으로 밀어붙이는 힘

원래 제가 머리가 좀 되거든요. 오호홋!

에구, 하여간 요즘 애들이란…. 칭찬도 함부로 못 하겠군.

그런데 로켓은 왜 1단, 2단, 3단으로 나눠요?

오, 꼼지가 보기보다 예리하구나.

로켓은 차례로 연료를 사용해 추력을 얻는단다.

연료가 떨어진 부분은 분리시켜 몸체를 가볍게 하는 거지. 알겠나!

네에~

새턴 5호 로켓의 비행 방법

3개의 연료를 잇따라 사용함으로써 우주선을 우주 공간으로 날아갈 수 있게 하는 것이다.

1단계 연료 사용, 1단계 분리

2단계 연료 사용, 2단계 분리

3단계 연료 사용

강력한 힘을 내는 로켓 엔진

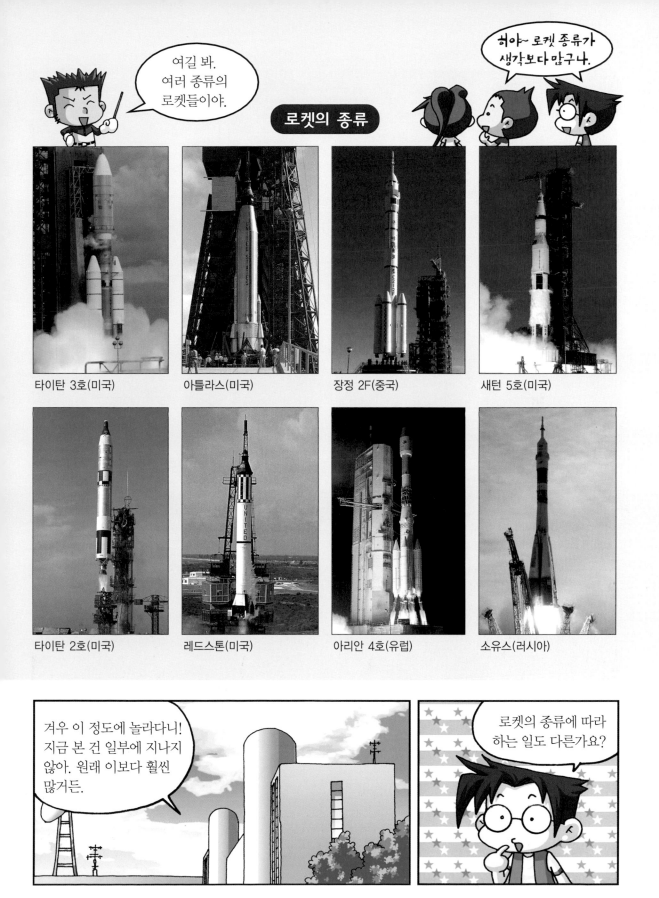

로켓의 종류

타이탄 3호(미국)

아틀라스(미국)

장정 2F(중국)

새턴 5호(미국)

타이탄 2호(미국)

레드스톤(미국)

아리안 4호(유럽)

소유스(러시아)

토마호크미사일(미국)

스커드미사일(러시아)

패트리엇미사일(미국)

피스키퍼미사일
(미국)

자, 이걸 봐.
이것이 세계 최강의
미사일이란다.

굉장하다.
근데 저게 다
무기라니!

자, 이것으로 기본
교육은 끝났다. 1차
합격자들은 1주일 후
직접 미국항공우주국으로
가서 어린이 우주비행사
훈련을 받을 예정이다. 모두
준비를 철저히 하도록!

내가 진짜
우주비행사가
되는 거야?

야호!

아직
좋아하긴
이른데….

펄
쩍

39

세계 여러 나라의 우주 센터

- 미국 : 케네디 우주 센터, 존슨 우주 센터
- 러시아 : 바이코누르 우주 센터(임대), 플레세츠크 우주 기지
- 중국 : 주취안·시창·타이위안 센터
- 일본 : 다네가시마 우주 센터
- 이탈리아 : 케냐 산마르코 발사장
- 유럽 : 쿠루 발사장(남아메리카 프랑스령 기아나)
- 인도 : 스리하리코타 우주 센터
- 대한민국 : 전남 고흥의 외나로도에 우주 센터 건립중

케네디 우주 센터

케네디 우주 센터의 로켓 공원

● 미국항공우주국(NASA)

1958년에 창설된 독자적인 정부 기관으로, 우주 탐사
활동과 우주선에 대한 연구·개발을 진행한다.
미국 내에 본부와 17개의 시설, 세계 각국에 40개의 추적소가
있다. 장비 개발을 담당하는 '항공 우주 기술부', 우주와
태양계 및 지구를 연구하는 '우주 과학부', 각종 우주선과
우주왕복선을 다루는 '우주 비행부', 추적·자료 수집과
관련된 '우주 추적 및 자료부', 유인 우주정거장 건설에 관한
장기 계획을 관리하는 '우주정거장부' 등 5개 부서가 있다.
고더드 우주 비행 센터, 패서디나의 제트 추진 연구소, 랭글리
연구 센터 등의 산하 기관이 있고 본부는
워싱턴에 있다.

현재 우주왕복선을 중심으로
우주 개발에 힘쓰며 대규모
우주정거장 건설을 계획하고
있다.

존슨 우주 센터 관제실

나사는 이렇게
미국 전역에 각 분야별로
센터가 나뉘어 있단다.

한 군데가
아니네?

쿠루 발사장

아리안 로켓 발사대

● **유럽우주기구(ESA)**

유럽 공동으로 로켓이나 위성을 개발하고 우주를
연구하기 위해 설립된 국제 조직으로, 1975년
프랑스 파리에서 발족했다. 유럽 공동 개발 로켓
아리안 발사, 화성 탐사선 마르스 익스프레스를
개발했으며, 국제우주정거장 계획에 참가하고
있다. 본부는 프랑스 파리에 있다. 로켓은 주로
남아메리카 프랑스령 기아나의 쿠루 발사장에서
발사된다.

바이코누르 우주 기지

● **바이코누르 우주 기지(카자흐스탄)**

1961년 최초의 유인 우주선 보스토크 1호가 여기서
발사됐다. 이후 여러 역사적인 우주선이 발사됐으며,
소련 붕괴 후 카자흐스탄에 속해 있다.

이외에도 세계 여러 나라에
우주 센터가 있단다. 자, 오늘은
먼 길 오느라 피곤했지?

!

푹 쉬고 내일부터
본격적인 훈련을
시작한다.

네에~

무중력 체험 훈련

자, 본격적인 훈련에 들어가기에 앞서 먼저 설명을 잘 듣도록!

다음날

우주비행사는 파일럿, 임무 전문가, 탑재체 전문가로 나뉜다.

파일럿은 우주왕복선을 조종하며 비행을 지휘하고 승무원들의 안전을 책임지는 역할을 한다.

오호, 멋지다!

그럼 나는 파일럿 할래.

무슨 소리! 파일럿은 나지.

꽈꽝

아직 최종 합격도 못한 주제에 무슨 파일럿이야!

투툭

아이고, 머리야!

44

자, 그럼
모두 탑승!

우주비행사들은 훈련중 수많은 포물선 비행을 한다. 이처럼 무중력과 중력 상태를 반복 경험하면 구토를 할 수도 있다.

우
웅

● 포물선 비행

물건을 공중에서 45도 각도로 떨어뜨린다고 생각하면서 비행하는 방법이다. 지상으로부터 약 10킬로미터 고도에서 일정한 높이까지 전속력으로 급상승했다가 갑자기 엔진 출력을 떨어뜨리면서 자유 낙하한다. 이런 낙하와 상승을 반복한다.

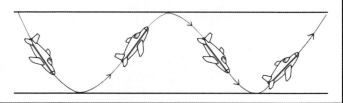

비행기가 낙하할 때는 약 25초간 무중력 상태가 된다. 하지만 그 전후로 2.5G 정도의 강한 중력이 작용하니 모두 조심해라.

으~떨려!

그
아
아
앙

* G(중력 가속도) : 사람이 느끼는 중력의 크기를 나타내는 단위. 땅 위에서 사람이 평소에 느끼는 중력은 1G 정도이다.
단위가 높아질수록 중력의 세기는 점점 커진다.

중력 가속도 훈련

어때? 모두들 무중력 체험은 할 만했나?

무중력 체험 훈련에서 이미 10명이 탈락해 이제 20명만 남았다.

척

오늘은 G-LOAD 훈련을 실시하겠다.

G-LOAD 훈련?

G-LOAD 훈련은 우주비행사들이 가장 받기 싫어하는 훈련이지.

오싹~

저건 또 뭐야?

둥

NATIONAL AERONAUT

비상 탈출 훈련

우주비행사는 이처럼 착륙 장소에 따른 한계 상황에 대처하는 훈련을 받는다.

그 중 생존할 확률이 가장 낮은 곳이 바다이다. 바다에 착륙할 경우에 대비해 우주비행사들은 수영 테스트를 통과해야 한다.

자, 이번엔 비상 탈출에 관한 것이다. 보스토크호 시절엔 비상시 우주비행사가 캡슐 밖으로 낙하산 탈출이 가능했다.

하지만 지금은 착륙시 개별적인 탈출이 불가능해 우주왕복선에 발사 과정의 돌발 상황에 대비한 비상 탈출 장치가 있다.

비상 탈출 장치

발사대에 케이블로 연결된 비상 탈출용 곤돌라가 있어 비상시 조종석을 열고 나와 곤돌라로 탈출하는 거지.

별로 위험해 보이지도 않는데 뭐 하러 비상 탈출 훈련을 하지?

그러게.

폐쇄 환경 적응 훈련

수영 훈련에서 또 2명이 탈락해 이제 남은 사람은 8명!

다음은 폐쇄 환경 적응 훈련! 꼭 닫힌 곳에 있으면 두려움을 느끼는 '폐소공포증'을 극복하기 위한 훈련이지.

폐소공포증은 좁은 엘리베이터에 들어갔을 때 안절부절못하며 불안해하거나,

쿵 쿵

사람 살려! 숨을 못 쉬겠어!

밀폐된 공간에 들어가지 못하는 공포증을 말한다. 우주왕복선 안은 밀폐된 공간이야.

머뭇 머뭇

으~ 답답한 데는 도저히 못 들어가겠어.

당연히 폐소 공포증이 있는 사람은 우주 비행사가 될 수 없지.

그럼 폐소공포증을 이겨 내는 방법은 없나요?

있지!

가르쳐 주세요.

* 공포증 : 어떤 물체나 상황에 대해 극단적인 두려움에 빠지는 신경증으로 고소공포증, 폐소공포증, 대인공포증 등이 있다.

*모듈 : 우주정거장을 이루는 각각의 독립적인 구조물. 우주에서의 정거장 조립을 간편하게 하도록 미리 지구에서 조립해 놓는다.

우주 유영 훈련

*중성 부력 : 물체와 물의 비중이 비슷해 뜨지도 가라앉지도 않는 상태

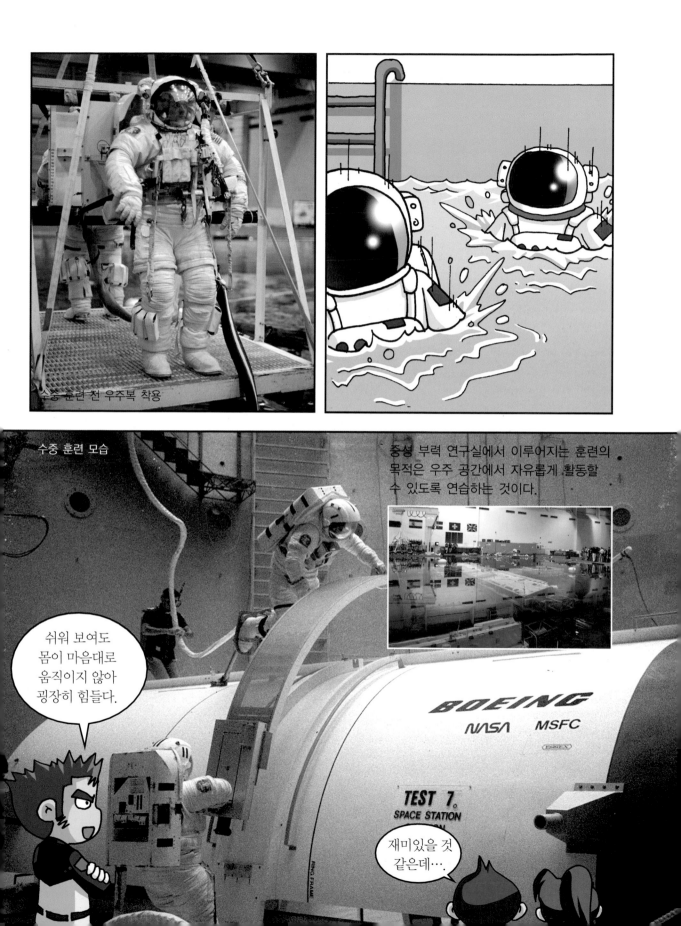

수중 훈련 전 우주복 착용

수중 훈련 모습

중성 부력 연구실에서 이루어지는 훈련의 목적은 우주 공간에서 자유롭게 활동할 수 있도록 연습하는 것이다.

쉬워 보여도 몸이 마음대로 움직이지 않아 굉장히 힘들다.

재미있을 것 같은데….

우주왕복선의 모든 것

컬럼비아호는 첫 비행에서 54시간 20분 동안 지구를 36번 돌고 무사히 귀환했다.

궤도선은 100회 정도 사용이 가능해 매우 경제적이지. 컬럼비아호 덕분에 많은 인공위성을 쏘아 올리는 등 본격적인 우주 시대를 열 수 있었단다.

컬럼비아호는 비행기처럼 생긴 궤도선과 외부 연료 탱크 1개, 고체 연료 로켓 2개로 구성되어 있다.

미국에서는 지금까지 컬럼비아호, 챌린저호, 디스커버리호, 애틀랜티스호, 엔데버호 등 5대의 궤도선이 개발되었는데 이들은 모두 여러 번 재사용 되고 있어.

컬럼비아호 다음 으로 개발된 것은 챌린저호야.

챌린저호는 1983년 4월, 첫 비행에 성공해 3차 비행에서는 최초의 야간 발사와 야간 착륙에 성공했다.

1984년 비행에서는 우주비행사 브루스 맥캔들스가 최초로 우주선에 연결된 줄 없이 우주 유영에 성공했다.

* 궤도선(오비터) : 위성 또는 우주왕복선에서 사람이나 물자를 싣고 지구 주위 궤도를 돌다가 주어진 임무가 끝나면 지구로 귀환하는 운반체

1984년 8월, 세 번째로 디스커버리호가 발사되었다.

우비 너, 한눈팔지 말고 잘 들어.

너나 나중에 나한테 묻지 마.

허블 우주망원경을 설치하는 모습

우주에 설치된 허블 우주망원경

디스커버리호는 주로 통신 위성이나 군사 위성의 발사 임무를 맡았는데, 1990년 4월, 허블 우주망원경을 우주로 보낸 것이 바로 디스커버리호다.

*허블 우주망원경 : 지구 궤도에 있는 정교한 천문 관측 장치

네 번째 우주 왕복선은 1985년 10월에 발사된 애틀랜티스호!

쿠아앙

그리고 1992년 5월에 발사된 엔데버호!

쿠쿠

그리고 이것은 너희가 타고 갈 우주왕복선이다.

궤도선에는 파일럿 외에 임무 전문가 등 총 7명이 탑승할 수 있다. 궤도선의 위층은 비행 조종실이고, 아래층에는 화장실, 침실, 식당 및 각종 창고로 이루어져 있다. 뒷부분에는 3개의 주 엔진이 부착되어 있다.

우주왕복선의 구조

① 외부 연료 탱크
   길이 : 약 47미터
② 고체 연료 로켓
   길이 : 약 45미터
③ 궤도선
   길이 : 약 37미터
   너비 : 약 24미터
   높이 : 약 17미터
   중량 : 약 72톤

임무를 마치고
귀환한 사령선

유인 로켓의 비행 과정

유인 로켓은 발사된 후 1, 2단계 연료를
차례로 사용하며 지구 선회 궤도에 오른다.
궤도선은 자체 로켓 엔진을 이용하여 우주
정거장과 도킹하거나 위성 수리 등의 임무를
수행한 후 사령선만 지구로 귀환한다.

＊도킹 : 인공위성이나 우주선 등이 우주 공간에서 서로 결합하는 것

자, 이번엔 우주 왕복선이 어떻게 비행하는지 알아볼까?

발사대에서 발사가 시작되면 양쪽에 달린 고체 연료 로켓과 궤도선 뒤에 달린 3개의 주 엔진에서 만드는 강력한 추진력으로 날아오르게 된다.

발사 후 약 2분 뒤, 고도 45킬로미터에 도달할 즈음 역할을 다한 고체 연료 로켓을 분리한다. 분리된 고체 연료 로켓은 낙하산으로 바다에 떨어진다. 이 고체 연료 로켓은 재사용한다.

우주왕복선은 주 엔진을 이용하여 외부 연료 탱크로부터 연료를 공급받으며 계속 상승한다.

발사 8분 30초 후, 연료가 떨어진 외부 연료 탱크는 왕복선에서 분리되어 바나로 떨어진다. 이 외부 연료 탱크는 떨어질 때 대기와의 마찰로 파괴되어 다시 사용할 수 없다.

발사 10분 뒤 궤도선에 달린 로켓을 사용해 지구를 도는 궤도에 진입한다. 이후 여러 가지 주어진 임무를 수행한다.

◀ 우주정거장과 도킹한 우주왕복선

임무를 마친 우주왕복선은 지구 대기권으로 다시 들어온 후 일반 비행기처럼 활공하여 활주로에 착륙한다.

옛 소련의 우주왕복선

미국의 컬럼비아호 발사에 자극받은 옛 소련은 우주 왕복선 부란을 개발해 냈다. 1988년 11월, 부란은 처음이자 마지막으로 우주 궤도 비행을 했다. 유인 우주 비행이 아닌 컴퓨터 자동 조종으로 비행한 것이다. 부란의 발사에는 거대한 로켓 에네르기아가 사용되었다.

옛 소련의 우주왕복선 부란   컬럼비아   부란

바로 차세대 우주왕복선이야. 아직 완성 단계는 아니지.

얼마 전까지 나사는 차세대 우주왕복선 X-33을 개발중이었다. 그러나 기술적인 문제에 부딪혀 지금은 개발을 중지한 상태다. 하지만 차세대 우주왕복선을 만들기 위한 노력은 앞으로도 계속될 것이다.

● 차세대 우주왕복선 X-33 계획

시속 1만 8천 킬로미터로 비행할 수 있으며, 자체의 강력한 로켓을 이용해 단 한 번에 우주로 나갔다가 지구로 돌아온다. 외부 연료 탱크와 여러 개의 추진 로켓을 사용하는 기존 방식과는 달리 모든 추진 방식이 하나의 몸체로 된 1단 발사체이다. 수직으로 발사되어 우주로 나갔다 우주왕복선처럼 활공하여 귀환한다. 100퍼센트 재활용이 가능하다.

너희가 탈 우주왕복선은 아무 이상이 없을 테니 걱정 마라.

하하하! 너무 겁먹지 말래도.

박사님 말씀을 믿고 싶어요. 정말 아무 일도 없어야 할 텐데…!

*탄도 : 발사된 탄환이 공중을 날아가 목표물에 이르기까지의 길. 또는 그것이 그리는 곡선

87

우주복의 여러 가지 기능

우주복은 최첨단 소재의 집합체로, 우주 공간에서 우주비행사가 생명을 유지하고 안전하게 임무를 수행할 수 있도록 도와주는 역할을 한다.

끄떡없지~

120도의 고온에서도 견뎌 낸다.

으... 너무 춥다

영하 120도의 저온에서도 견뎌 낸다.

항상 지구와 같은 기압을 유지한다.

물맛이 좋군~

적당량의 산소와 물을 공급해 준다.

웬만한 충격에는 끄떡없다.

우주복의 구조

압력 장갑

생명 유지 장치

마이크

헤드폰

사진기

산소 조절기

연결 줄

이것이 바로 선외 우주복이다. 가혹한 우주 환경에서 생명을 지켜 준다. 여러분은 주로 선내 우주복을 입게 될 것이다.

저걸 입어야 한다고? 꽤나 무겁겠는걸.

어떻게 입어요?

중요한 거니까 귀 기울여 듣도록!

우주복 입는 순서

먼저 바지를 입고, 벽에 고정되어 있는 상의 안으로 들어간다. 그런 다음 장갑과 헬멧을 착용한다.

? 우주에서 우주복을 입지 않으면 어떻게 될까요?

우주는 기압이 없고, 태양열 때문에 극고온과 극저온이 수시로 변합니다. 그래서 우주선 안에서는 활동복을 입어도 좋지만 우주선 밖에서는 반드시 우주복을 입어야 합니다. 우주복을 입지 않으면 기압 차로 질소가 피 속에 녹아들어 온몸의 피가 끓어오르고 결국 몸이 팽창해서 터져 버립니다. 또 태양으로부터 오는 해로운 광선과 우주를 떠도는 유성체와의 충돌 위험도 있기 때문에 우주에서 우주복을 입지 않으면 살 수 없습니다.

선내 우주복(러시아)

선외 우주복(미국)

달 착륙에 사용된 우주복

1969년, 닐 암스트롱이 달 착륙 당시 입은 우주복은 무게가 84킬로그램이었다. 하지만 달의 중력은 지구의 6분의 1에 불과해 달에서는 14킬로그램 정도이다.
우주복은 3겹의 내복과 여러 가지 기능을 갖춘 22겹으로 구성된 외복으로 만들어졌다.
또한 합성 섬유로 국수 가닥같이 생긴 플라스틱 튜브가 냉각수를 흐르게 하여 우주비행사의 체온을 항상 일정하게 조절해 준다.

교관님, 우주복을 입었을 때 오줌이 마려우면 어떡해요?

넌 꼭 그런 게 궁금하냐?

사실 나도 궁금해!

· · ·

우주복에는 갑작스러운 배설을 대비한 기저귀가 설치되어 있기 때문에 소변이 마려우면 그대로 누면 돼!

자, 입는다. 실시!

옷 입는 것쯤이야 쉽지, 뭐.

우주복을 입는 데 걸리는 시간은 45분 정도이다. 입은 후에는 몸이 우주복 안의 기압에 적응하도록 1시간 정도의 적응 시간이 필요하다. 우주복에는 간단한 식사, 산소 공급 장치, 통신 장비와 카메라 등의 장치가 장착되어 있다.

초기 로켓은 대포에서 탄환을 쏘는 것처럼 단숨에 쏘아 올렸기 때문에 우주비행사에게는 엄청난 충격이 왔다. 보통 10G 정도의 큰 충격이었다.

10G 상태

발사 때의 충격은 제미니 우주선에서 10G가 1분간 지속되었고, 아폴로 우주선에서는 3.8G가 1분간 지속되었다.

카운트다운! ···6, 5, 4, 3, 2, 1 제로! 발사!

쿠 쿠 쿠 쿠

이제 곧 충격이 온다. 다들 침착하게, 훈련받은 대로 호흡해.

으~ 조금만 참자.

두두두두

쿠아아

1단계 고체 연료 로켓 분리

덜컹

덜컹

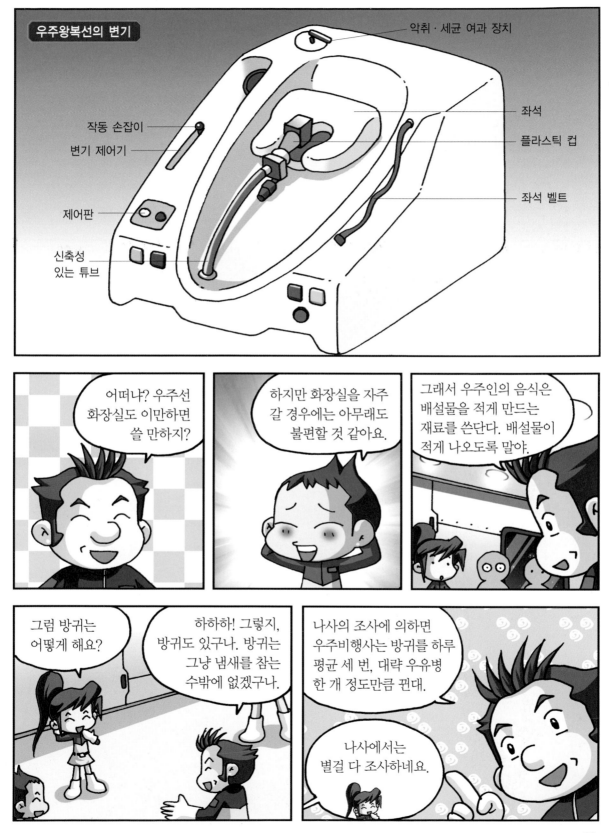

건조식을 먹는 우주비행사

우주선에서는 마른 음식밖에 못 먹나요?

꼭 그렇진 않지만, 무중력 상태에서는 국물이 있는 음식이나 가루가 날리는 과자 등은 먹기가 힘드니까.

으~ 자장면 먹기 힘드네~

둥

둥

아폴로 10호에서는 끈기가 있는 음식을 만들어 숟가락으로 떠먹도록 했단다.

아, 이것 역시 입에 맞지 않아.

그래서 요즘은 우주비행사들이 조금이라도 식사다운 식사를 할 수 있도록 여러 종류의 우주식이 만들어지고 있지. 현재 수십 종류의 음식과 음료수가 있고, 그 수가 점점 늘고 있어.

자, 기다리고 기다리던 식사 시간입니다!

위잉

여러 가지 인공위성

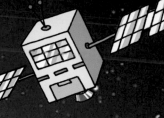

과학 위성
우주에서 지구 및 지구 주변의 우주 환경을 관측하는 등 각종 우주 과학 실험을 수행하는 인공위성

측지 위성
측량의 기초로 하기 위하여 지구의 정확한 형태, 중력의 분포, 표면의 위치 결정 등을 측정하는 인공위성

통신 위성
지상 통신국에서 송신하는 신호를 수신하여 증폭 변환한 후 다시 상대 지구국에 재송신하는 인공위성

군사 위성
정찰 · 통신 · 조기 경보 · 항해용 등 군사 목적으로 쓰고 있는 인공위성

이처럼 인공위성은 여러 가지 목적을 가지고 쏘아 올려져 저마다의 역할을 하고 있는 거야.

이 중에서도 특히 잘 알려지지 않은 군사 위성이 가장 많아.

군사 위성들은 다른 나라를 비밀리에 감시하고 있단다.

세계의 군사 위성

세계 여러 나라에서 쏘아 올리는 위성들은 대부분 한 가지 목적만을 가지고 있지 않다. 군사 위성도 대외적으로는 과학, 기상, 통신 등의 목적이라고 하지만 군사적인 목적을 띠고 있는 것들이 많다. 대표적인 것이 미국의 DSCS-1과 옛 소련의 코스모스이다. 2006년 8월에 발사된 우리나라의 무궁화 5호 위성도 군사적인 성격을 띠고 있는 위성이다.

DSCS-1(1966년 발사)

코스모스(1962년 발사)

미국은 대부분의 군사 위성을 타이탄 로켓으로 쏘아 올렸다.

TITAN/CENTAUR COMPL

이건 미국의 핵 시설 탐지 위성이지. 북한의 핵 시설도 감시하고 있단다.

벨라(1963년 발사)

이 위성 역시 상대방의 국가를 정찰하고 감시하는 위성이란다.

미국의 틸 루비
(1987년 발사)

그럼, 좋은 목적으로 사용되는 인공위성은 어떤 것이 있어요?

그야 무수히 많지. 올림픽이나 월드컵 같은 지구촌 축제를 전세계인이 동시에 볼 수 있게 하는 방송용 위성과 통신, 기상, 천체 관측, 자원 탐사 등 다양한 목적을 가진 위성들이 있단다.

우리별 1호 발사 로켓 아리안

아리랑 1호 발사 로켓 토러스

첫 다목적 실용 위성은 1999년 12월, 미국에서 발사된 아리랑 1호란다. 해상도가 더 뛰어난 아리랑 2호가 2006년 7월 28일, 러시아에서 발사되었지.

아리랑 1호

과학기술위성 1호

한 가지 아쉬운 것은 로켓 기술이 부족해서 번번이 외국에서 인공위성을 쏘아 올렸다는 거지. 하지만 2002년 말 한국항공우주연구원이 국내 최초로 개발한 액체 추진 로켓 'KSR-3'을 쏘아 올려 우리나라도 우주 로켓 개발에 필요한 기술을 갖게 되었지.

로켓 KSR-3

쿠아아앙

아리랑호와 무궁화호 등 우리나라는 지금도 다양한 목적에 맞는 인공위성을 꾸준히 쏘아 올리고 있지.

무궁화호는 어떤 일을 하고 있어요?

달을 누빈 탐사선들

앗! 저기 곰보투성이 별, 달 맞죠?

그래, 달이란다. 지구의 유일한 위성이지.

애걔? 엄청 못생겼네.

달에 대해서는 어린이 우주비행사 교육을 받을 때 들은 내용이 있지?

기억나는 달 탐사선을 하나씩만 말해 봐. 진정한 우주비행사라면 이름 정도는 알고 있어야지.

헉, 달 탐사선!

달에 지진계 설치

달의 암석 채취

또 알고 있는 달 탐사선이 있니?

루나호요.

앗, 엄지까지!

휙

그래, 루나호는 옛 소련의 탐사선이지. 루나 9호는 1966년, 처음으로 달에 연착륙해 달 표면을 근접 촬영하는 데 성공했지.

루나 9호

* 연착륙 : 우주를 비행하던 유인 우주선이나 무인 탐사선이 달이나 행성에 충돌하지 않고 속도를 줄여 충격 없이 착륙하는 것

이어서 루나 16호는 1970년 9월, 달에 착륙한 후 암석을 채취해 지구로 가져왔단다.

루나 16호

꼼지는 알고 있는 달 탐사선이 없니?

없긴 왜 없어요? 저도 영화에서 봤어요. 아폴로 13호요.

산소 탱크가 폭발했던 거야. 하지만 우주비행사들은 4일 동안 전력과 공기를 아껴 사용하면서 사령선 대신에 달 착륙선을 타고 무사히 지구로 돌아왔단다.

그렇지. 아폴로 13호는 고장이 난 상태에서 무사히 지구로 돌아온 달 탐사선으로 유명하지. 1970년 4월, 아폴로 13호가 56시간을 비행했을 때 우주비행사 스위거트가 문제가 생겼다는 보고를 해 왔어.

아폴로 13호의 사고 당시 사령선

귀환한 아폴로 13호의 우주비행사들

물론 그런 목적도 있지. 사람들은 오랫동안 오직 지구에만 생명체가 산다고 생각했어. 하지만 이 넓은 우주에 생명체가 정말 우리밖에 없을지는 의문이지.

맞아요, 저는 다른 행성에도 분명 외계인이 살고 있을 것 같아요.

저도 그래요. 우주 어딘가에 분명 외계인이 살고 있을 거예요.

그래서 외계 지적 생명체 탐사 계획 같은 우주에서 날아오는 전파 신호를 분석하려는 계획도 있는 거지.

외계로 보낸 메시지

탐사선 파이어니어호와 보이저호에는 각각 지구와 인류에 대한 기본적인 정보가 담긴 메시지를 실어 보냈다. 특히 보이저호에는 지구의 여러 언어를 사용한 인사말, 지구의 소리와 음악을 동판 레코드에 담고 여러 가지 사진도 함께 실려 보냈다.

그래서 탐사선에 외계인에게 보내는 지구인의 메시지를 실려 보내기도 한단다.

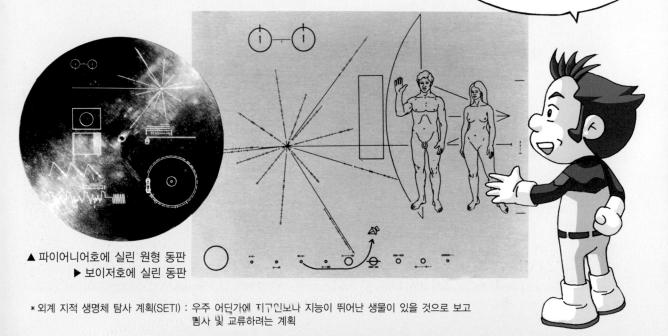

▲ 파이어니어호에 실린 원형 동판
▶ 보이저호에 실린 동판

* 외계 지적 생명체 탐사 계획(SETI) : 우주 어딘가에 지구인보나 지능이 뛰어난 생물이 있을 것으로 보고 탐사 및 교류하려는 계획

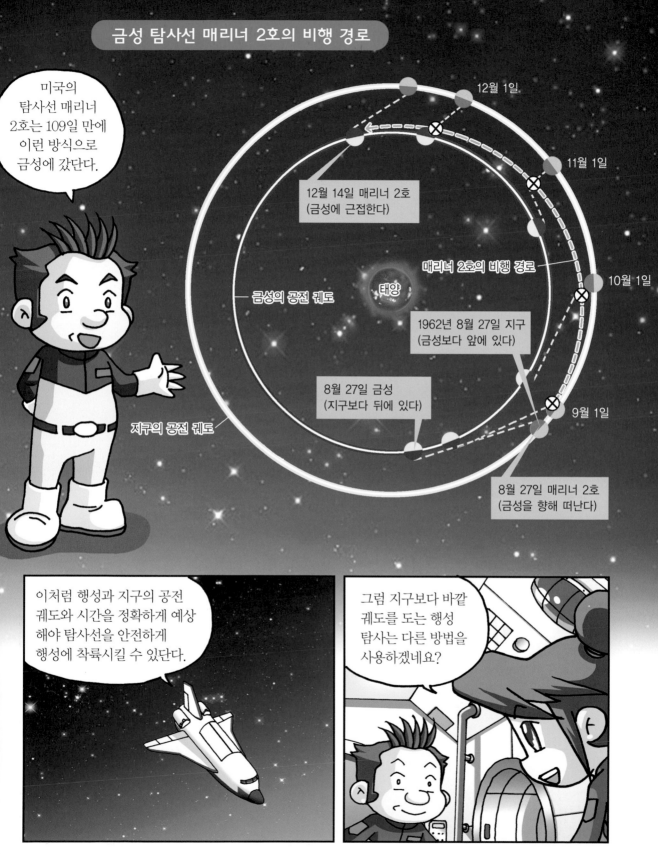

행성 탐사는 이렇게!

그런데 그렇게 멀리 떨어진 행성에서 어떻게 탐사를 하죠?

아무튼 정말 대단해요. 그렇게 오래 걸리는 여행이라니….

대부분의 탐사선은 행성 옆을 지나가거나 그 행성의 궤도를 돌면서 조사와 분석을 한단다. 또는 탐사체를 표면에 충돌시켜 조사하기도 하지.

사람 없이도 가능한가요?

탐사선 내부에는 성능이 뛰어난 사진기와 여러 가지 장비가 설치돼 있어. 그것들을 이용하면 얼마든지 행성을 탐사할 수 있지.

최근에는 직접 행성에 탐사 로봇을 착륙시켜 탐사를 하기도 한단다.

네? 탐사 로봇이요?

놀라긴. 사람처럼 생긴 로봇이 아니라 자체 이동 능력을 가진 로봇을 말하는 거야. 탐사 로봇 중에 가장 유명한 것은 바로 화성을 탐사한 '소저너'란다.

무인 화성 탐사선 패스파인더호에 실려 운반된 소저너는 바퀴가 6개 달린 탐사 로봇으로, 화성 표면을 운행하며 수많은 사진과 탐사 자료를 지구로 보내왔다.

화성을 탐사하고 있는 소저너

최초로 화성에 착륙한 탐사선은 1975년에 발사된 미국의 바이킹호였다. 자체 이동 능력은 없었지만 바이킹호의 활약은 대단했다.

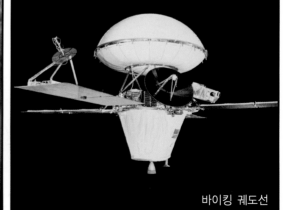

바이킹호는 수천 장의 사진과 여러 가지 분석 결과를 지구로 전송했다. 바이킹호가 보여 준 화성은 메마른 사막과 돌뿐이었다.

바이킹호가 찍은 화성

바이킹 궤도선

보이저호의 대모험

1963년, 미국은 외행성을 한꺼번에 탐사한다는 계획을 발표했단다.

외행성이라면?

태양을 도는 8개의 행성 중 지구보다 안쪽 궤도를 도는 행성은 내행성, 바깥쪽 궤도를 도는 행성을 외행성이라고 하지.

아, 그럼 수성과 금성은 내행성, 나머지는 외행성이겠네요!

그렇지!

그런데 어떻게 그 많은 외행성을 한꺼번에 탐사해요?

175년마다 한 번씩 생기는 외행성의 배열을 이용한다는 계획이지.

천문학자들은 연구 끝에 1976년과 1980년 사이에 화성을 제외한 외행성들인 목성, 토성, 천왕성, 해왕성이 비스듬한 일직선상에 놓인다는 것을 알게 되었어.

이때 탐사선을 발사하면 하나의 탐사선으로 여러 개의 외행성을 탐사할 수 있는 좋은 기회가 된단다.

히야! 알면 알수록 정말 신기해요. 그런 것까지 일일이 계산하고 계획을 세우다니!

탐사선 보이저 1 · 2호의 탐험은 이렇게 해서 시작된 거란다.

보이저 1호는 목성과 토성을 통과했고, 2호는 목성과 토성을 거쳐 천왕성과 해왕성까지 통과한 탐사선 맞죠?

맞아!

보이저 1, 2호의 여행

보이저 1호

토성
목성
지구
태양

천왕성
해왕성
보이저 2호

보이저호를 쏘아 올린 타이탄 로켓

보이저호

＊스윙바이(swingby) : 행성의 인력에 끌려 들어가다 바깥으로 튕겨져 나가는 듯한 추진력을 얻는 것

보이저 2호가 보낸 사진 중 놀라운 것은 바로 1986년 천왕성에 접근하여 천왕성의 위성 10개를 새로 확인하고, 2개의 새로운 고리를 발견한 것이지. 천왕성의 위성과 고리를 본 과학자들은 깜짝 놀랐단다.

천왕성

보이저 2호

위성까지 탐사했어요?

그렇단다. 탐사선들은 태양계 행성만 탐사하는 게 아니라 위성이나 소행성, 혜성 등도 탐사하고 있지.

또한 보이저 2호는 목성의 위성과 대적점도 발견했어. 대적점은 목성의 표면에서 발견된 거대한 소용돌이로, 지구보다 3배나 크단다. 그리고 목성에서도 고리를 발견했는데, 이는 목성도 토성처럼 고리를 가지고 있다는 사실을 처음으로 밝혀 낸 거지.

목성의 위성과 대적점

보이저호는 정말 많은 일을 해냈구나.

동감이야.

보이저호는 우주 탐사선 역사상 가장 눈부신 활약을 펼쳤지. 보이저호의 활약은 끝이 없어. 자, 오늘은 여기까지 하자.

지금 그러고 있을 때가 아니다. 어디에 이상이 있는지 조사해야 해.

삐삐

네! 알겠습니다.

그런데 우리 우주선에 이상이 있는 게 아니고, 다른 곳에서 비상 신호를 보내오고 있습니다.

삐삐

구조 요청 신호군. 위치는?

국제우주 정거장입니다.

칫, 엄지만 근사한 역할이잖아. 근데 국제 우주정거장이 뭐지? 우비야, 넌 아냐?

글쎄, 배운 것 같기도 하고….

!

녀석들도 참! 국제우주정거장은 오가는 우주선의 기지 역할을 하는 곳이잖아. 행성 사이를 오가는 우주선에 연료나 음식을 공급 하기도 하고, 여러 가지 연구를 수행하는 곳 말야.

지상 350킬로미터 상공의 궤도에 자리 잡은 국제우주정거장에는 최대 15명까지 머무르며 연구할 수 있다. 러시아와 미국의 우주왕복선이 연결되도록 설계되었다.

국제우주정거장(ISS)

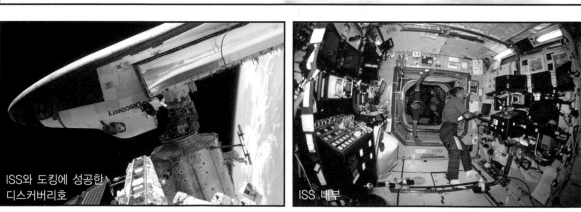

ISS와 도킹에 성공한 디스커버리호

ISS 내부

근데, 우주정거장은 언제 처음 만들어진 서죠?

1971년 옛 소련이 쏘아 올린 살류트 1호가 최초의 우주 정거장이란다.

이어 미국이 1973년 새턴 로켓을 개조해 만든 우주정거장 스카이랩을 쏘아 올렸지. 스카이랩은 궤도를 돌면서 사람이 머무를 수 있도록 설계되었단다.

스카이랩의 승무원들은 실험실에서 의학, 물리, 천체에 관한 연구는 물론 지구의 자원을 조사하는 등 많은 성과를 이루어 냈다. 또한 망가진 장치를 교체하거나 수리하기도 했다.

수명을 다한 스카이랩은 1979년, 대기권에 돌입해 불타 버렸지.

살류트와 스카이랩 말고 다른 우주정거장이 또 있었나요?

어, 우비 너도 우주정거장에 대해 알고 있는 거야? 그런 거야?

당연하지!

그냥 그럴 거라는 얘기지, 내 말은.

그럼 그렇지~

1986년에는 옛 소련의 미르호가 발사되었어. 미르는 본격적인 우주정거장 시대를 열었지.

미르호에는 세계 여러 나라의 우주비행사는 물론 민간인들도 다녀갔지.

우주정거장은 옛 소련이 미국보다 앞섰네요?

그래, 두 나라의 경쟁이 치열했지. 그러다 1995년 7월, 미국의 우주왕복선 디스커버리호가 미르호와 도킹하는 데 성공했단다.

미르호는 발사 당시 질량이 21톤이었으나 계속 모듈이 추가되어 나중에는 100톤이 넘을 정도였다. 미르는 2001년 3월, 폐기될 때까지 지구를 8만 8천 번 돌았고, 1만 6500건의 실험이 미르에서 이루어졌다. 그 후 국제우주정거장이 건설되기 시작했다.

선외 활동 장치에는 로켓 엔진과 8시간 활동할 수 있는 생명 유지 장치가 달려 있다.

압력 밸브에 이상이 있었는데 잘 처리했다, 로저!

고맙다, 로저!

우아! 정말 멋지다! 난 탑재체 전문가가 될 거야!

선외 활동 모습

녀석들도 참…. 자, 우린 우리 임무인 우주 체험에 충실해야지!

박사님, 저기 좀 좀 보세요. 유난히 붉게 빛나는 별이에요!

저건 화성 이란다.

영화에 많이 나오던데, 화성에는 정말 외계인이 살고 있을까요?

글쎄다. 과학자들은 만약 지구 외의 행성에 생명체가 있다면 화성에 살고 있을 확률이 크다고 하지. 지구와 환경이 가장 비슷하니까.

궁금증을 풀기 위해 많은 탐사선이 화성으로 갔겠네요?

137

물론이지. 앞에서 말한 것처럼

매리너 4호는 화성의 근접 비행에 성공하여 최초로 화성 표면 사진을 지구로 보내왔지.

매리너 4호

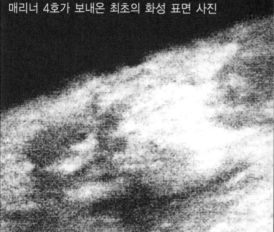

매리너 4호가 보내온 최초의 화성 표면 사진

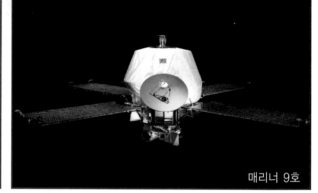

이후 매리너 9호가 화성의 궤도 진입에 성공하여 화성 상공을 돌면서 9천 장의 사진을 보내왔다.

매리너 9호

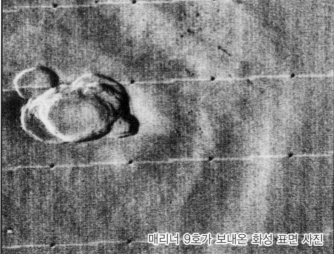

매리너 9호가 보내온 화성 표면 사진

하지만 본격적인 화성 탐사 시대를 연 건 앞에서도 잠깐 얘기했던 바이킹호란다.

바이킹 1·2호가 궤도선에서 화성 착륙선으로 분리돼 처음으로 화성 연착륙에 성공했기 때문이지.

바이킹 2호의 궤도선

바이킹호는 화성에서 옛날에 물이 흘렀던 흔적을 촬영하고, 대기 분석을 통해 화성의 대기가 매우 희박하고 건조하다는 것을 밝혀냈어. 또 토양 분석과 바람과 온도를 측정하는 기후 조사도 수행했지.

그렇다면 화성인은…

화성이 붉게 보이는 것은 표면의 돌과 흙의 주성분이 산화철로 이루어졌기 때문이다. 지표에서는 먼지 바람이 불며 분화구와 옛날에 물이 흘렀던 흔적이 남아 있다. 바이킹호의 토양 분석 결과, 생물의 흔적은 발견되지 않았다.

바이킹 2호의 착륙선

화성 표면

1980년대 이후 미국은 우주 개발에 드는 비용을 줄이고자 했다. 이런 계획 아래 개발한 탐사선이 바로 패스파인더이다. 패스파인더는 다양한 아이디어 덕분에 예전보다 적은 비용으로 높은 탐사 성과를 거둘 수 있었다.

패스파인더는 다른 탐사선들처럼 화성 궤도를 선회하지 않고

곧장 대기권으로 진입했단다.

?

그동안의 탐사선들은 궤도를 돌고 있는 모선에서 분리된 탐사선이 낙하산이나 역추진 로켓을 이용해 속력을 줄여 착륙하는 방식을 썼거든.

쿠 쿠 쿠

* 모선 : 어떤 작업의 중심체가 되는 큰 배나 비행기

하지만 패스파인더는 착륙용 낙하산과 커다란 에어백 쿠션 장치를 사용했어. 에어백에 의해 몇 번 튕기며 착륙할 때의 충격을 흡수하는 방식이지.

결국 패스파인더가 착륙하는 데 걸린 시간은 4분 정도밖에 안 되었단다.

우아! 겨우 4분 만에 착륙을…?

에어백을 이용한 착륙은 탐사선 역사에 있어 획기적인 사건이었지.

패스파인더의 화성 탐사에서 빼놓을 수 없는 점 중 하나는 앞에서 잠깐 소개한 소저너의 활동이야.

패스파인더호에 실려 간 이동식 탐사 로봇 소저너는 화성에서 다양한 탐사 활동을 펼쳤다. 소저너는 1997년 7월, 화성에 착륙한 후 6주 이상 활동하며 다양한 정보를 보내왔다.

역시 1999년, 화성의 물을 찾고자 했던 극지 착륙선도 실종됐어.

확실해. 분명 화성인들의 소행이야.

내기 할래?

너희 좀 진지해질 수 없냐?

하지만 최근엔 아주 좋은 소식도 있단다. 화성 탐사 로봇인….

화성 탐사 로봇?

스피릿과 오퍼튜니티가 지난 2006년 1월로 화성 도착 2년을 맞으며 활발한 활동을 하고 있단다.

겨우 2년밖에 활동을 못 했는데, 대단한 거예요?

처음 예상 수명이 3개월 이었는데 예상을 깨고 장수한 셈이지.

드릴로 화성의 바위를 갈아 내는 스피릿

화성을 탐사중인 오퍼튜니티

화성의 바위에 물이 흐른 흔적

우주를 누비는 탐사선

1989년, 미국과 유럽연합(EU)이 함께 개발한 목성 탐사선 갈릴레오호가 목성의 자기장과 대기권, 위성을 탐사하기 위해 발사되었단다.

갈릴레오! 위대한 과학자의 이름을 딴 거군요.

음, 그렇지. 갈릴레오호는 로켓으로 쏘아 올린 게 아니고 좀 특별한 방법을 썼지.

갈릴레오호는 우주왕복선에 실어 우주로 운반한 다음 발사했다. 지구에서보다 우주에서 발사하는 것이 비용이 적게 들기 때문이다.

그렇지만 훨씬 복잡할 것 같은데….

그렇진 않단다. 특히 우주왕복선을 이용하는 방법을 쓰면 큰 탐사선도 발사할 수 있어 대단히 실용적이지.

갈릴레오호는 가니메데와 이오 등 목성의 위성 사진을 찍어 보냈단다.

갈릴레오호가 찍은 목성의 위성 이오

또다른 탐사선은요?

각 행성마다 보내진 탐사선이 워낙 많기 때문에 다 얘기할 순 없고, 대신 대표적인 것들만 알려 주지.

먼저 미국의 파이어니어 10·11호도 아주 유명한 목성 탐사선이란다.

파이어니어 10호는 1972년에 발사되어 21개월 만에 목성 상공에 도착, 목성의 위성 사진과 자기장 정보 등을 지구로 전송했다.

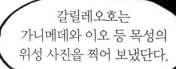

파이어니어 11호는 1973년에 발사되어 1979년에 토성의 고리 위를 지나면서 토성의 자기장과 고리, 위성 등을 탐사했다.

이건 전체 탐사선 중 극히 일부에 불과해.

주요 행성 탐사선

탐사선 이름	나라	발사 연도	탐사 대상과 결과
매리너 2호	미국	1962	금성 최초의 근접 비행
마르스 2호	옛 소련	1971	화성 궤도 도달, 착륙선 착륙 실패
마르스 3호	옛 소련	1971	화성 착륙 첫 성공
파이어니어 10호	미국	1972	1973년 목성 근접 비행
파이어니어 11호	미국	1973	1974년 목성 근접 비행
			1979년 토성 근접 비행
매리너 10호	미국	1973	수성 사진 첫 촬영
바이킹 1 · 2호	미국	1975	화성 궤도 돌입 후 착륙 및 탐사
보이저 1호	미국	1977	1979년 목성 근접 비행
			1980년 토성 근접 비행
보이저 2호	미국	1977	1979년 목성 근접 비행
			1981년 토성 근접 비행
			1986년 천왕성 근접 비행
			1989년 해왕성 근접 비행
베네라 15호	옛 소련	1983	금성 표면 지도 작성
베가 1호	옛 소련	1984	금성 및 핼리 혜성 근접 비행
지오토호	유럽	1985	핼리 혜성 탐사
마젤란호	미국	1989	금성 레이더 관측 및 지도 작성
갈릴레오호	미국	1989	목성 궤도 도착 후 돌입 탐사기 투하
패스파인더호	미국	1996	화성에 탐사 로봇 소저너 착륙
카시니-호이겐스호	미국/유럽	1997	토성 궤도, 타이탄 탐사
스피릿 · 오퍼튜니티	미국	2003	화성 착륙 및 탐사 로봇
뉴 호라이즌스호	미국	2006	2015년에 134340 접근 예정

*134340 : 왜소행성으로 분류된 명왕성의 새로운 이름

와아

우아~ 수많은 탐사선이 우주 곳곳을 누비고 있구나!

이건 수성 탐사선 매리너 10호야. 매리너 10호는 사상 최초로 수성과 금성을 동시에 탐사하는 임무를 띠고 발사된 탐사선이지.

매리너 10호는 수성의 사진을 찍은 최초의 탐사선이다. 탐사 활동은 중단됐지만 아직도 태양 궤도를 돌고 있다.

금성 탐사선으로는 베네라 1~16호, 마젤란, 베가 1·2호, 매리너 2호 등이 있다.

이 중 마젤란은 지구를 도는 애틀랜티스호에서 발사되어 금성 궤도로 향했다. 마젤란은 금성 표면의 전체에 가까운 지도를 작성하였고, 1994년 금성 대기로 추락했다.

화성 탐사선은 앞서 말한 탐사선 외에 옛 소련의 포보스 1·2호, 미국의 마르스 옵저버, 마르스 서베이어 등이 있단다.

2003년 발사된 유럽우주기구의 마르스 익스프레스도 있지.

유럽 최초의 화성 탐사선 마르스 익스프레스호

150

토성 탐사선 카시니-호이겐스호

다음은 토성 탐사선이다.

토성 탐사선 카시니-호이겐스호

미국항공우주국에서 제작한 우주선 카시니호와 유럽우주기구가 개발한 위성 탐사선 호이겐스호로 이루어진 토성 탐사선이다. 1997년에 발사되어 7년 만에 토성 궤도에 진입했다. 카시니호는 토성의 위성 중 하나인 '이아페투스'의 근접 촬영에 성공해 표면의 밝은 부분과 어두운 부분의 구성 물질과 생성 원인을 탐구하는 데 도움을 주었다.

토성의 위성 이아페투스

또 카시니호에 탑재되어 있던 호이겐스호는 토성의 위성 중 가장 큰 위성인 '타이탄'에 착륙했단다.

와! 그 먼 데 있는 위성에 어떻게 갔을까? 정말 신기해요!

그럼 정말 생물체가?

아직 확실하진 않지만 사진에 나타난 대로 지구와 환경이 비슷하다면 그럴 가능성도 충분히 있는 거지.

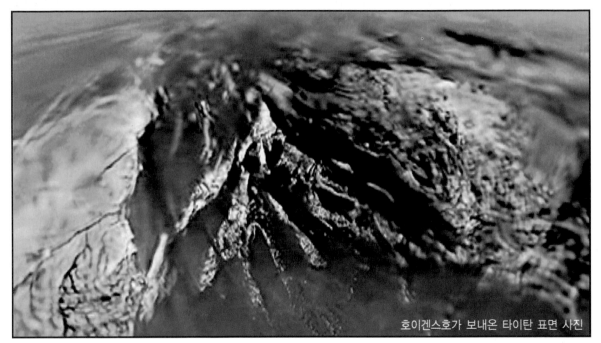

호이겐스호가 보내온 타이탄 표면 사진

아무래도 타이탄에 외계인이 살고 있는 것 같아.

아까는 화성에 살고 있을 거라며?

그야 타이탄 사진을 못 봤을 때 얘기지.

쿳~

버럭

알면 알수록 우주 탐사선의 활약이 놀랍네요.

그렇지, 탐사선들 덕분에 인류는 우주에 대한 많은 정보를 얻을 수 있었단다.

천왕성을 탐사한….

천왕성과 해왕성은 보이저 2호가 탐사했죠?

맞아, 보이저 2호 덕분에 두 행성의 생생한 모습을 볼 수 있게 됐지.

근데 행성에서 제외된 명왕성에는 탐사선을 보내지 않았나요?

그럴 리가 있나. 당연히 보냈지.

2006년 1월에 발사된 미국의 뉴 호라이즌스호는 9년간 50억 킬로미터를 날아 2015년경에 한때 행성이었던 명왕성에 근접할 예정이다.

뉴 호라이즌스호

*명왕성 : 1930년, 발견 당시부터 아홉 번째 행성으로 존재하다 2006년 8월, 제26차 국제천문연맹 총회에서 다른 행성에 비해 중력이 약하여 주변의 천체들을 집어삼키지 못한다 하여 왜소행성으로 분류됨. 이름도 134340으로 바뀜

우아, 그렇게 시간이 많이 걸려요?

일반적으로는 지구와의 거리가 멀수록 탐사선이 도착하는 데 많은 시간이 걸려.

예전에는 행성 탐사를 할 때 '호만 궤도'를 이용한 비행 방법을 썼다. 호만 궤도란 탐사선이 한 행성에서 다른 행성으로 가는 가장 안정적이고 경제적인 궤도이다.

수성 105일

금성 146일

화성 260일

목성 약 2.7년

토성 약 6년

천왕성 약 16년

해왕성 약 30년

하지만 최근에 호만 궤도보다는 스윙 바이항법 등 새로운 방법을 사용해 비행 시간이 많이 단축되었단다.

그런데도 그렇게 오래 걸린다는 거예요? 에구, 우주를 탐사한다는 게 정말 생각만큼 쉬운 일이 아니구나.

그걸 이제 알았냐?

* 호만 궤도 : 지구의 자전 속도를 이용하는 탐사선이 비행하는 가장 경제적인 궤도이다. 빠르거나 짧지는 않지만 연료를 가장 적게 들이는 방법이다.

그건 저도 알아요. 혜성과 충돌시킨 것 말이죠.

맞아. 딥 임팩트호는 혜성과 직접 충돌하는 방식으로 탐사했지.

헉, 꼼지가 웬일?

딥 임팩트호가 발사한 충돌체인 임팩터는 2005년 7월, 혜성 '템펠1'에 명중했다.

쿵

세탁기 크기의 임팩터가 시속 3만 7천 킬로미터의 속도로 돌진해 혜성과 충돌하자 혜성에는 축구장 크기만한 구덩이가 생겼다. 임팩터는 충돌하기 직전 혜성의 사진과 정보를 지구로 전송했다.

과학자들은 이때 얻은 정보를 바탕으로 혜성을 연구하고 있단다. 이 밖에도 유럽우주기구에서는 혜성에 착륙하여 토양과 대기를 분석할 로제타호를 발사했지.

으익!

쌔

앵

로제타호는 2014년에 혜성 '추류모프-게라시멘코'에 닿을 예정이야.

와, 기대된다!

Why?

과학을 잘하고 싶다면, 우리 주변에서 볼 수 있는 모든 것에 '왜?' 라는 질문을 던져 보세요.
과학의 발전은 아주 작은 호기심에서 출발합니다.

Why? 우주
감수 조경철
(이학박사)

Why? 바다
감수 한상준
(한국해양연구원 원장)

Why? 날씨
감수 안명환
(전 기상청장)

Why? 곤충
감수 최임순
(이학박사)

Why? 똥
감수 박완철
(한국과학기술연구원 책임연구원)

Why? 물
감수 신항식
(한국과학기술원 건설환경공학과 교수)

     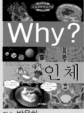

Why? 로봇
감수 오준호
(한국과학기술원 기계공학과 교수)

Why? 외계인과 UFO
감수 맹성렬
(한국유에프오연구협회 연구부장)

Why? 자연재해
감수 이윤수
(한국지질자원연구원 선임연구원)

Why? 질병
감수 지제근
(서울대학교 의과대학 명예교수)

Why? 물리
감수 김제완
(과학문화진흥회 회장)

Why? 인체
감수 박용하
(한국생명공학연구원 책임연구원)

Why? 컴퓨터
감수 박순백
(컴퓨터 칼럼니스트)

Why? 식물
감수 김태정
(한국야생화연구소 소장)

Why? 동물
감수 최임순
(이학박사)

Why? 지구
감수 조경철
(이학박사)

Why? 환경
감수 최열
(전 환경운동연합 사무총장)

Why? 생명과학
감수 박용하
(한국생명공학연구원 책임연구원)

Why? 핵과 에너지
감수 김정흠
(전 고려대학교 명예교수)

Why? 사춘기와 성
감수 이혜성
(한국청소년상담원 원장)

Why? 공룡
감수 이융남
(한국지질자원연구원 선임연구원)

Why? 화학
감수 김건
(고려대학교 이과대학장)

Why? 발명·발견
감수 왕연중
(한국발명진흥회 특허관리지원팀장)

Why? 남극·북극
감수 김예동
(해양연구원 부설 극지연구소 소장)

Why? 화석
감수 이융남
(한국지질자원연구원 선임연구원)

Why? 독 있는 동식물
감수 심재한
(한국 양서·파충류 생태연구소 소장)

Why? 동굴
감수 우경식
(강원대학교 지질학과 교수)

Why? 갯벌
감수 임현식
(목포대학교 갯벌연구소 소장)

Why? 로켓과 탐사선
감수 채연석
(한국항공우주연구원 연구위원)

Why? 교통수단
감수 송성수
(과학기술정책연구원 연구위원)

한국과학문화재단 선정 우수과학만화(우주·바다) / 한국과학문화재단 선정 우수과학도서(날씨·똥) / 교보문고 좋은책 150선 선정도서(곤충) / 한국일보 제정 한국교육산업대상 수상